Baby Shower For

_____

_____

Date

_____

_____

Guest Name

_____

Relationship to Parents

_____

Advice for Parents

_____

_____

_____

Wishes for Baby

_____

_____

_____

Guest Name

_____

Relationship to Parents.

_____

Advice for Parents

_____

_____

_____

_____

Wishes for Baby

_____

_____

_____

_____

Guest Name

_____

Relationship to Parents

_____

Advice for Parents

_____

_____

_____

_____

Wishes for Baby

_____

_____

_____

_____

Guest Name

_____

Relationship to Parents

_____

Advice for Parents

_____

_____

_____

_____

Wishes for Baby

_____

_____

_____

_____

Guest Name

_____

Relationship to Parents

_____

Advice for Parents

_____

_____

_____

Wishes for Baby

_____

_____

_____

Guest Name

_____

Relationship to Parents

_____

Advice for Parents

_____

_____

_____

Wishes for Baby

_____

_____

_____

_____

Guest Name

_____

Relationship to Parents

_____

Advice for Parents

_____

_____

_____

Wishes for Baby

_____

_____

_____

_____

Guest Name

_____

Relationship to Parents

_____

Advice for Parents

_____

_____

_____

_____

Wishes for Baby

_____

_____

_____

_____

Guest Name

_____

Relationship to Parents

_____

Advice for Parents

_____

_____

_____

Wishes for Baby

_____

_____

_____

_____

Guest Name

_____

Relationship to Parents

_____

Advice for Parents

_____

_____

_____

Wishes for Baby

_____

_____

_____

_____

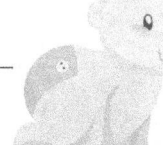

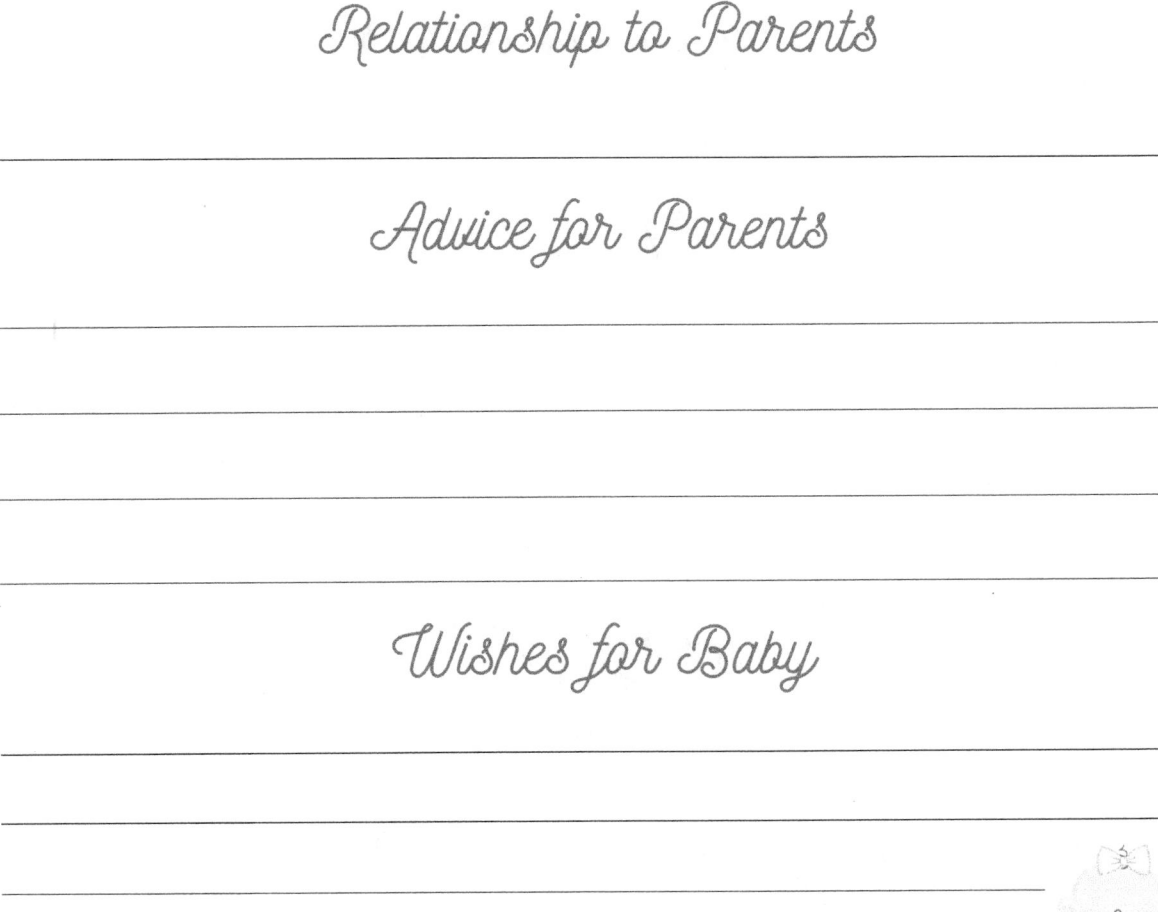

Guest Name

_____

Relationship to Parents

_____

Advice for Parents

_____

_____

_____

Wishes for Baby

_____

_____

_____

Guest Name

_____

Relationship to Parents

_____

Advice for Parents

_____

_____

_____

_____

Wishes for Baby

_____

_____

_____

_____

Guest Name

_____

Relationship to Parents

_____

Advice for Parents

_____

_____

_____

_____

Wishes for Baby

_____

_____

_____

_____

Guest Name

_____

Relationship to Parents

_____

Advice for Parents

_____

_____

_____

_____

Wishes for Baby

_____

_____

_____

_____

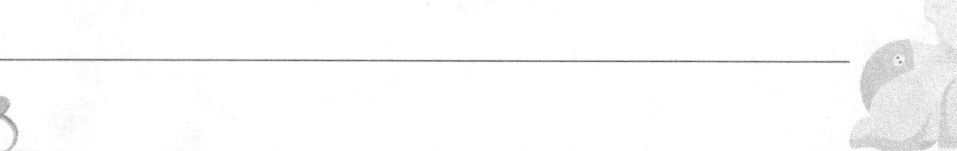

Guest Name

_____

Relationship to Parents

_____

Advice for Parents

_____

_____

_____

Wishes for Baby

_____

_____

_____

Guest Name

_____

Relationship to Parents

_____

Advice for Parents

_____

_____

_____

_____

Wishes for Baby

_____

_____

_____

_____

Guest Name

_____

Relationship to Parents

_____

Advice for Parents

_____

_____

_____

Wishes for Baby

_____

_____

_____

Guest Name

_____

Relationship to Parents

_____

Advice for Parents

_____

_____

_____

Wishes for Baby

_____

_____

_____

_____

Guest Name

_____

Relationship to Parents

_____

Advice for Parents

_____

_____

_____

_____

Wishes for Baby

_____

_____

_____

_____

Guest Name

_____

Relationship to Parents

_____

Advice for Parents

_____

_____

_____

Wishes for Baby

_____

_____

_____

_____

Guest Name

_____

Relationship to Parents

_____

Advice for Parents

_____

_____

_____

_____

Wishes for Baby

_____

_____

_____

_____

Guest Name

_____

Relationship to Parents

_____

Advice for Parents

_____

_____

_____

Wishes for Baby

_____

_____

_____

Guest Name

_____

Relationship to Parents

_____

Advice for Parents

_____

_____

_____

_____

Wishes for Baby

_____

_____

_____

Guest Name

_____

Relationship to Parents

_____

Advice for Parents

_____

_____

_____

_____

Wishes for Baby

_____

_____

_____

_____

Guest Name

_____

Relationship to Parents

_____

Advice for Parents

_____

_____

_____

_____

Wishes for Baby

_____

_____

_____

_____

Guest Name

_____

Relationship to Parents

_____

Advice for Parents

_____

_____

_____

Wishes for Baby

_____

_____

_____

Guest Name

_____

Relationship to Parents

_____

Advice for Parents

_____

_____

_____

Wishes for Baby

_____

_____

_____

Guest Name

_____

Relationship to Parents

_____

Advice for Parents

_____

_____

_____

Wishes for Baby

_____

_____

_____

Guest Name

_____

Relationship to Parents

_____

Advice for Parents

_____

_____

_____

_____

Wishes for Baby

_____

_____

_____

_____

Guest Name

_____

Relationship to Parents

_____

Advice for Parents

_____

_____

_____

_____

Wishes for Baby

_____

_____

_____

_____

Guest Name

_____

Relationship to Parents

_____

Advice for Parents

_____

_____

_____

Wishes for Baby

_____

_____

_____

Guest Name

_____

Relationship to Parents

_____

Advice for Parents

_____

_____

_____

_____

Wishes for Baby

_____

_____

_____

Guest Name

_____

Relationship to Parents

_____

Advice for Parents

_____

_____

_____

_____

Wishes for Baby

_____

_____

_____

_____

Guest Name

_____

Relationship to Parents

_____

Advice for Parents

_____

_____

_____

_____

Wishes for Baby

_____

_____

_____

_____

Guest Name

_____

Relationship to Parents

_____

Advice for Parents

_____

_____

_____

Wishes for Baby

_____

_____

_____

Guest Name

_____

Relationship to Parents

_____

Advice for Parents

_____

_____

_____

_____

Wishes for Baby

_____

_____

_____

_____

Guest Name

_____

Relationship to Parents

_____

Advice for Parents

_____

_____

_____

Wishes for Baby

_____

_____

_____

Guest Name

_____

Relationship to Parents

_____

Advice for Parents

_____

_____

_____

_____

Wishes for Baby

_____

_____

_____

_____

Guest Name

_____

Relationship to Parents

_____

Advice for Parents

_____

_____

_____

Wishes for Baby

_____

_____

_____

Guest Name

_____

Relationship to Parents

_____

Advice for Parents

_____

_____

_____

Wishes for Baby

_____

_____

_____

Guest Name

_____

Relationship to Parents

_____

Advice for Parents

_____

_____

_____

Wishes for Baby

_____

_____

_____

Guest Name

_____

Relationship to Parents

_____

Advice for Parents

_____

_____

_____

Wishes for Baby

_____

_____

_____

Guest Name

_____

Relationship to Parents

_____

Advice for Parents

_____

_____

_____

Wishes for Baby

_____

_____

_____

Guest Name

_____

Relationship to Parents

_____

Advice for Parents

_____

_____

_____

Wishes for Baby

_____

_____

_____

_____

Guest Name

_____

Relationship to Parents

_____

Advice for Parents

_____

_____

_____

Wishes for Baby

_____

_____

_____

_____

Guest Name

_____

Relationship to Parents

_____

Advice for Parents

_____

_____

_____

Wishes for Baby

_____

_____

_____

_____

Guest Name

_____

Relationship to Parents

_____

Advice for Parents

_____

_____

_____

_____

Wishes for Baby

_____

_____

_____

_____

Guest Name

_____

Relationship to Parents

_____

Advice for Parents

_____

_____

_____

Wishes for Baby

_____

_____

_____

_____

Guest Name

_____

Relationship to Parents

_____

Advice for Parents

_____

_____

_____

_____

Wishes for Baby

_____

_____

_____

_____

Guest Name

_____

Relationship to Parents

_____

Advice for Parents

_____

_____

_____

_____

Wishes for Baby

_____

_____

_____

_____

Guest Name

_____

Relationship to Parents

_____

Advice for Parents

_____

_____

_____

Wishes for Baby

_____

_____

_____

_____

Guest Name

_____

Relationship to Parents

_____

Advice for Parents

_____

_____

_____

Wishes for Baby

_____

_____

_____

Guest Name

_____

Relationship to Parents

_____

Advice for Parents

_____

_____

_____

_____

Wishes for Baby

_____

_____

_____

_____

Guest Name

_____

Relationship to Parents

_____

Advice for Parents

_____

_____

_____

Wishes for Baby

_____

_____

_____

_____

Guest Name

_____

Relationship to Parents

_____

Advice for Parents

_____

_____

_____

Wishes for Baby

_____

_____

_____

_____

Guest Name

_____

Relationship to Parents

_____

Advice for Parents

_____

_____

_____

_____

Wishes for Baby

_____

_____

_____

_____

Guest Name

_____

Relationship to Parents

_____

Advice for Parents

_____

_____

_____

_____

Wishes for Baby

_____

_____

_____

_____

Guest Name

_____

Relationship to Parents

_____

Advice for Parents

_____

_____

_____

Wishes for Baby

_____

_____

_____

_____

Guest Name

_____

Relationship to Parents

_____

Advice for Parents

_____

_____

_____

_____

Wishes for Baby

_____

_____

_____

_____

Guest Name

_____

Relationship to Parents

_____

Advice for Parents

_____

_____

_____

_____

Wishes for Baby

_____

_____

_____

Guest Name

_____

Relationship to Parents

_____

Advice for Parents

_____

_____

_____

_____

Wishes for Baby

_____

_____

_____

_____

Guest Name

_____

Relationship to Parents

_____

Advice for Parents

_____

_____

_____

Wishes for Baby

_____

_____

_____

_____

Guest Name

_____

Relationship to Parents

_____

Advice for Parents

_____

_____

_____

Wishes for Baby

_____

_____

_____

Guest Name

_____

Relationship to Parents

_____

Advice for Parents

_____

_____

_____

_____

Wishes for Baby

_____

_____

_____

Guest Name

_____

Relationship to Parents

_____

Advice for Parents

_____

_____

_____

Wishes for Baby

_____

_____

_____

Guest Name

_____

Relationship to Parents

_____

Advice for Parents

_____

_____

_____

_____

Wishes for Baby

_____

_____

_____

_____

Guest Name

_____

Relationship to Parents

_____

Advice for Parents

_____

_____

_____

Wishes for Baby

_____

_____

_____

_____

Guest Name

_____

Relationship to Parents

_____

Advice for Parents

_____

_____

_____

_____

Wishes for Baby

_____

_____

_____

_____

Guest Name

_____

Relationship to Parents

_____

Advice for Parents

_____

_____

_____

_____

Wishes for Baby

_____

_____

_____

Guest Name

_____

Relationship to Parents

_____

Advice for Parents

_____

_____

_____

Wishes for Baby

_____

_____

_____

_____

Guest Name

_____

Relationship to Parents

_____

Advice for Parents

_____

_____

_____

Wishes for Baby

_____

_____

_____

_____

Guest Name

_____

Relationship to Parents

_____

Advice for Parents

_____

_____

_____

_____

Wishes for Baby

_____

_____

_____

Guest Name

_____

Relationship to Parents

_____

Advice for Parents

_____

_____

_____

Wishes for Baby

_____

_____

_____

Guest Name

_____

Relationship to Parents

_____

Advice for Parents

_____

_____

_____

_____

Wishes for Baby

_____

_____

_____

_____

Guest Name

_____

Relationship to Parents

_____

Advice for Parents

_____

_____

_____

Wishes for Baby

_____

_____

_____

_____

Guest Name

_____

Relationship to Parents

_____

Advice for Parents

_____

_____

_____

_____

Wishes for Baby

_____

_____

_____

_____

Guest Name

_____

Relationship to Parents

_____

Advice for Parents

_____

_____

_____

Wishes for Baby

_____

_____

_____

Guest Name

_____

Relationship to Parents

_____

Advice for Parents

_____

_____

_____

_____

Wishes for Baby

_____

_____

_____

_____

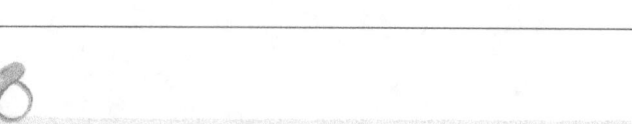

Guest Name

_____

Relationship to Parents

_____

Advice for Parents

_____

_____

_____

Wishes for Baby

_____

_____

_____

Guest Name

_____

Relationship to Parents

_____

Advice for Parents

_____

_____

_____

_____

Wishes for Baby

_____

_____

_____

_____

Guest Name

_____

Relationship to Parents

_____

Advice for Parents

_____

_____

_____

Wishes for Baby

_____

_____

_____

Guest Name

_____

Relationship to Parents

_____

Advice for Parents

_____

_____

_____

Wishes for Baby

_____

_____

_____

_____

Guest Name

_____

Relationship to Parents

_____

Advice for Parents

_____

_____

_____

Wishes for Baby

_____

_____

_____

_____

Guest Name

_____

Relationship to Parents

_____

Advice for Parents

_____

_____

_____

_____

Wishes for Baby

_____

_____

_____

_____

Guest Name

_____

Relationship to Parents

_____

Advice for Parents

_____

_____

_____

Wishes for Baby

_____

_____

_____

Guest Name

_____

Relationship to Parents

_____

Advice for Parents

_____

_____

_____

_____

Wishes for Baby

_____

_____

_____

_____

Guest Name

_____

Relationship to Parents

_____

Advice for Parents

_____

_____

_____

_____

Wishes for Baby

_____

_____

_____

_____

Guest Name

_____

Relationship to Parents

_____

Advice for Parents

_____

_____

_____

_____

Wishes for Baby

_____

_____

_____

_____

Guest Name

_____

Relationship to Parents

_____

Advice for Parents

_____

_____

_____

_____

Wishes for Baby

_____

_____

_____

_____

Guest Name

_____

Relationship to Parents

_____

Advice for Parents

_____

_____

_____

_____

Wishes for Baby

_____

_____

_____

_____

Guest Name

_____

Relationship to Parents

_____

Advice for Parents

_____

_____

_____

_____

Wishes for Baby

_____

_____

_____

Guest Name

_____

Relationship to Parents

_____

Advice for Parents

_____

_____

_____

_____

Wishes for Baby

_____

_____

_____

_____

Guest Name

_____

Relationship to Parents

_____

Advice for Parents

_____

_____

_____

_____

Wishes for Baby

_____

_____

_____

_____

Guest Name

_____

Relationship to Parents

_____

Advice for Parents

_____

_____

_____

_____

Wishes for Baby

_____

_____

_____

Guest Name

_____

Relationship to Parents

_____

Advice for Parents

_____

_____

_____

_____

Wishes for Baby

_____

_____

_____

Guest Name

_____

Relationship to Parents

_____

Advice for Parents

_____

_____

_____

Wishes for Baby

_____

_____

_____

Guest Name

_____

Relationship to Parents

_____

Advice for Parents

_____

_____

_____

Wishes for Baby

_____

_____

_____

_____

Guest Name

_____

Relationship to Parents

_____

Advice for Parents

_____

_____

_____

Wishes for Baby

_____

_____

_____

Guest Name

_____

Relationship to Parents

_____

Advice for Parents

_____

_____

_____

Wishes for Baby

_____

_____

_____

_____

Guest Name

_____

Relationship to Parents

_____

Advice for Parents

_____

_____

_____

Wishes for Baby

_____

_____

_____

_____

Gift Log

Name/Email/Phone   **Gift**

_____   _____

_____   _____

_____   _____

_____   _____

_____   _____

_____   _____

_____   _____

_____   _____

_____   _____

_____   _____

_____   _____

_____   _____

_____   _____

_____   _____

Gift Log

Name/Email/Phone	Gift
_____	_____
_____	_____
_____	_____
_____	_____
_____	_____
_____	_____
_____	_____
_____	_____
_____	_____
_____	_____
_____	_____
_____	_____
_____	_____
_____	_____

Gift Log

Name/Email/Phone   **Gift**

_____   _____

_____   _____

_____   _____

_____   _____

_____   _____

_____   _____

_____   _____

_____   _____

_____   _____

_____   _____

_____   _____

_____   _____

_____   _____

Gift Log

Name/Email/Phone	Gift
_____	_____
_____	_____
_____	_____
_____	_____
_____	_____
_____	_____
_____	_____
_____	_____
_____	_____
_____	_____
_____	_____
_____	_____
_____	_____

Gift Log

Name/Email/Phone   Gift

_____   _____

_____   _____

_____   _____

_____   _____

_____   _____

_____   _____

_____   _____

_____   _____

_____   _____

_____   _____

_____   _____

_____   _____

_____   _____

_____   _____

Gift Log

Name/Email/Phone	Gift
_____	_____
_____	_____
_____	_____
_____	_____
_____	_____
_____	_____
_____	_____
_____	_____
_____	_____
_____	_____
_____	_____
_____	_____
_____	_____
_____	_____

Gift Log

Name/Email/Phone   **Gift**

_____   _____

_____   _____

_____   _____

_____   _____

_____   _____

_____   _____

_____   _____

_____   _____

_____   _____

_____   _____

_____   _____

_____   _____

_____   _____

Gift Log

Name/Email/Phone	Gift
_____	_____
_____	_____
_____	_____
_____	_____
_____	_____
_____	_____
_____	_____
_____	_____
_____	_____
_____	_____
_____	_____
_____	_____
_____	_____

Gift Log

Name/Email/Phone   Gift

_____   _____

_____   _____

_____   _____

_____   _____

_____   _____

_____   _____

_____   _____

_____   _____

_____   _____

_____   _____

_____   _____

_____   _____

_____   _____

_____   _____

Gift Log

Name/Email/Phone	Gift
_____	_____
_____	_____
_____	_____
_____	_____
_____	_____
_____	_____
_____	_____
_____	_____
_____	_____
_____	_____
_____	_____
_____	_____
_____	_____

Notes / Photos

Notes / Photos

Notes / Photos

Notes / Photos

Notes / Photos

Notes / Photos

Notes / Photos

Notes / Photos

CPSIA information can be obtained
at www.ICGtesting.com
Printed in the USA
BVHW091150140820
586418BV00009B/86